F

MW00988534

DAS
GOLD
DER
ALTEN
DAME

LANGENSCHEIDT

BERLIN · MÜNCHEN · WIEN · ZÜRICH · NEW YORK

Leichte Lektüren
Deutsch als Fremdsprache in drei Stufen
Das Gold der alten Dame *Stufe 2*

Dieses Werk folgt der neuen Rechtschreibung
entsprechend den amtlichen Richtlinien.

© 1991 by Langenscheidt KG, Berlin und München
Druck: Druckhaus Langenscheidt, Berlin
Printed in Germany
ISBN 3-468-49683-4

9 10 11 12 * 05 04 03 02

Die Hauptpersonen dieser Geschichte sind:

Helmut Müller, Privatdetektiv, beobachtet von seinem Balkon aus merkwürdige Vorgänge im Haus auf der anderen Straßenseite.

Frau Matzke, eine reiche alte Dame, wurde in ihrer Wohnung überfallen.

Peter Matzke, ihr Sohn, beauftragt Helmut Müller mit dem Fall.

Elisabeth Broden, die Nichte von Frau Matzke, lebt seit einem schweren Unfall bei ihrer Tante. Aber sie ist nur selten da.

Gisela Martens, eine Freundin von Müller, arbeitet auf der Intensivstation des Rudolf-Virchow-Krankenhauses und kann Müller einige wichtige Informationen besorgen.

Bernd Klingbeil ist Pfleger im Rudolf-Virchow-Krankenhaus. Seit einigen Tagen wurde er im Krankenhaus nicht mehr gesehen.

Bea Braun, Müllers Sekretärin, bringt ihren Chef auf die entscheidende Idee.

1

Im Kühlschrank sind zwei Eier, ein Salat, eine kleine Dose Ölsardinen, ein Joghurt. Sonst nichts. Keine Wurst, kein Fleisch, kein Käse und kein einziges Bier. Für Helmut Müller ist das ein trauriges Wochenende. Besonders ohne Bier ist ein Sonntagabend für diesen Privatdetektiv eine Katastrophe. In Berlin sind alle Geschäfte zu[1], er kann nichts kaufen. Nichts zu essen, nichts zu trinken und ein schlechtes Programm im Fernsehen. Ach, das Leben ist langweilig und traurig.

Müller macht den Kühlschrank zu und geht ins Wohnzimmer. Auf dem Boden liegen Bücher, Zeitungen, Prospekte, eine Hose, ein Pullover. Müller ist nicht sehr ordentlich. Er lebt allein in seiner Wohnung und hat auch keine Lust, seine Wohnung sauber zu machen.

Es ist schon elf Uhr abends. Er geht auf seinen Balkon. Es ist ein ruhiger Sommerabend. Nur ab und zu fährt ein Auto durch die Straße. Plötzlich hört Müller eine Stimme.

„Nein, nicht!", sagt eine Frau.

„Sei still!", antwortet ein Mann.

Müller sieht die Frau. Sie geht schnell weg. Der Mann geht in das Haus gegenüber. Müller denkt: ‚Merkwürdig.' Jetzt ist der Sonntagabend nicht mehr langweilig. Jetzt ist Müller wieder Privatdetektiv! Er bleibt auf dem Balkon und wartet.

Nach einer halben Stunde kommt der Mann wieder aus dem Haus. Er sieht nach links und nach rechts, dann geht er schnell weg. ‚Merkwürdig', denkt Müller und bleibt auf dem Balkon. Nach zehn Minuten kommt die Frau wieder zurück. Sie geht zum Haus, öffnet die Tür mit einem Schlüssel. Nach ein paar Minuten geht im 3. Stock das Licht an. Müller sieht einen Schatten. Dann ist das Licht wieder aus.

Die Haustür geht wieder auf. Es ist die Frau. Sie hat eine große Tasche. Die Frau ist sehr nervös und geht schnell weg. Vor der Haustür liegt etwas auf dem Boden. Die Frau hat es verloren. Müller geht runter, er geht über die Straße und findet ... einen Schlüssel. Er probiert den Schlüssel, aber er passt nicht zu der Tür.

2

Am nächsten Morgen steht Müller um 9 Uhr auf.

Um 11 Uhr muss er im Büro sein. Dort hat er einen Termin mit einem Ehemann, der wissen will, was seine Frau macht. Routine.

Das Wetter ist schön. Müller macht sich sein Frühstück auf dem Balkon. So kann er in der Sonne sitzen. Müller liebt die Sonne, besonders beim Frühstück.

Vor dem Haus gegenüber stehen ein Rettungswagen und ein Polizeiauto.

‚Merkwürdig', denkt Müller. Er beschließt, nach unten zu gehen.

Als er vor der Tür steht, kommen Leute aus dem Haus; die Männer vom Rettungsdienst tragen eine Frau auf einer Bahre und schieben sie ins Auto. Hinter ihnen zwei Polizisten, Kommissar Schweitzer und ein Kollege. Müller kennt den Kommissar.

„Na, was gibt's denn hier Schönes?", fragt Müller.

„Was machen Sie denn hier?"

„Ich wohne gegenüber", antwortet Müller. „Was ist passiert?"

„Eine alte Dame im 3. Stock hatte heute Nacht Besuch. Sehr unangenehmen Besuch. Eine Nachbarin fand sie heute früh. Sie lag auf dem Boden ihres Wohnzimmers, bewusstlos. Die Besucher haben auch die Wohnung durchsucht, vielleicht auch etwas gefunden, aber das wissen wir noch nicht."

„Wohnt sie allein?"

„Ja und nein. Manchmal wohnt eine Nichte bei ihr, aber die

ist viel unterwegs. Haben Sie denn etwas gesehen heute Nacht?", fragt der Kommissar.

„Nun ja, schon. So um 11 Uhr sah ich eine Frau und einen Mann vor der Haustür. Aber es war ziemlich dunkel."

„Wie alt waren die beiden?"

„Schwer zu sagen. So um die dreißig vielleicht."

„Haarfarbe, besondere Kennzeichen?"

„Kann ich wirklich nicht sagen. Es war einfach zu dunkel."

Der Kommissar ist sauer. Erstens mag er keine Privatdetektive, zweitens sind die Informationen von diesem Herrn Müller nicht zu gebrauchen. Aber er ist höflich. Also sagt er: „Vielen Dank, Herr Müller, Sie haben uns sehr geholfen."

3

Um 11 Uhr ist Müller in seinem Büro.

„Guten Morgen, Bea! Hatten Sie ein schönes Wochenende?"

„Morgen, Chef. Es war wunderschön. Ich war mit Johannes im Theater des Westens². Er hatte Karten für CATS! Möchten Sie einen Kaffee?"

„Gern, danke. Aber wer ist Johannes? Ich denke, Ihr Freund heißt Robert?"

„Ach, der ...! Mit dem ist es aus, schon seit einer Woche."

„Ach so!" Müller mag seine Sekretärin. Sie unterhalten sich oft auch über private Dinge. Sie arbeiten seit ein paar Jahren zusammen. Als Müller anfing, als Privatdetektiv zu arbeiten, hatte er noch kein Geld für eine Sekretärin. Aber nach einiger Zeit musste er eine Sekretärin suchen und fand Bea Braun.

„Übrigens, Bea, heute Morgen habe ich schon unseren Kommissar Schweitzer gesehen. Direkt vor meiner Haustür." Müller erzählt Bea Braun, was er am Abend davor gesehen hat und was der Kommissar ihm gesagt hat. „Ich möchte wissen, was da passiert ist."

„Aber Chef, Sie wissen doch: Keinen Fall bearbeiten ohne Auftrag! Unsere Finanzen sind diesen Monat sowieso nicht besonders."

„Ich weiß, ich weiß, aber trotzdem ..."

4

Als Müller abends nach Hause geht, klingelt er doch bei der Nachbarin der alten Dame. Vielleicht weiß sie etwas mehr.

„Entschuldigen Sie die Störung, gnädige Frau. Ich wohne gegenüber und ich bin Reporter." Manchmal müssen Privatdetektive lügen. Müller dachte, dass Reporter ein besseres Image haben. „Ach was, Reporter? Vom Fernsehen?", sagt die Frau, ihre Stimme klingt sofort etwas aufgeregter.

„Nein, von einer neuen Zeitschrift. Wir sind spezialisiert auf die gefährlichen Seiten unserer Stadt", lügt Müller weiter.

„Oh, wie interessant. Aber bitte, meinen Namen dürfen Sie nicht schreiben."

„Natürlich nicht. Also, was ist denn heute früh passiert?"

Und die Frau erzählt, dass sie heute früh aufstand, dass sie aus der Wohnung ging wie jeden Tag, dass die Tür ihrer Nachbarin offen war, dass sie den Namen der Nachbarin gerufen hat, dass keine Antwort kam, dass sie dann in die Wohnung ging und dort die Frau fand.

„Zuerst dachte ich, sie ist tot. Da habe ich sofort die Polizei gerufen. Die arme alte Dame!"

„Lebt sie denn allein?"

„Ihre Nichte Elisabeth ist manchmal da. Aber die arbeitet als Hostess auf Messen und Kongressen und ist viel unterwegs."

„Diese Elisabeth, wie heißt sie weiter?"

„Elisabeth Broden. Ein komisches Mädchen, so merkwürdig. Ich sage immer, das liegt an dem Unfall."

„Unfall?"

„Na ja, das war, bevor sie zu ihrer Tante zog. Sie hatte einen schweren Unfall. Sie lag fast drei Monate im Rudolf-Virchow-Krankenhaus[3]. Da liegt ihre Tante jetzt auch. Hoffentlich wird sie wieder gesund."

„Sie sagen, Elisabeth Broden ist die Nichte von der alten Dame?"

„Nicht richtig, ich meine, eigentlich nicht. Sie ist

eigentlich die Tochter einer Nichte von ihr. Die ganze Familie lebte früher in Kanada, Auswanderer[4], verstehen Sie? Sie sind dort unheimlich reich geworden. Öl und so. Ihr Sohn Peter und sein Sohn, also ihr Enkel, der Friedrich, die leben jetzt auf den Kanarischen Inseln. Aber ihr Mann – Gott hab ihn selig – hat sich damals von seinem Sohn getrennt und ihn enterbt. Er ist nie wieder hier gewesen. Elisabeth wird die einzige Erbin sein. Das hat mir Frau Matzke, also die alte Dame, erzählt."

Nachdem Müller sich bedankt hatte und noch einmal versprechen musste, den Namen der Nachbarin nicht zu veröffentlichen, ging er in seine Wohnung.

‚Ganz schön kompliziert, diese Familienverhältnisse', denkt er. Er nimmt einen Zettel und macht eine Übersicht:

Frau Matzke ∞ Herr Matzke

Frau Matzke:
gestern Nacht überfallen,
sehr reich.
Schmuck?
Lebte früher in Kanada.

Herr Matzke:
Tot.
Vorher Sohn
enterbt.

Elisabeth Broden
Unfall.
Dann bei Frau M.
Selten zu Hause,
Hockess.

Sohn Peter
Enterbt.
Lebt auf
Kanarischen Inseln

Sohn Friedrich
Keine Information

5

Am nächsten Morgen ruft Müller im Rudolf-Virchow-Krankenhaus an. Eine Freundin von ihm, Gisela Martens, arbeitet dort. Sie verabreden sich für den Nachmittag.

Im Büro von Müller ist nichts los, Bea Braun erledigt die Post, ein besorgter Vater möchte wissen, ob sein Sohn an der Universität auch wirklich studiert, und eine Ehefrau will alles über die abendlichen Termine ihres Ehemannes wissen. Routine.

Am Nachmittag geht Müller ins Krankenhaus. Gisela Martens arbeitet auf der Intensivstation. Sie hat gerade Pause und so beschließen die beiden, erst mal einen Kaffee zu trinken.
„Na, Helmut, was kann ich für dich tun? Du willst doch bestimmt etwas wissen, oder? Du hast dich schließlich seit Monaten nicht gemeldet!"
„Nun ja, du weißt, die Arbeit, die Arbeit ... Aber es stimmt, du kannst mir helfen. Erinnerst du dich an eine Patientin names Elisabeth Broden? Autounfall. Sie lag drei Monate bei euch."
„Ach ja, das weiß ich noch genau. Ich habe mich zeitweise um die beiden Mädchen gekümmert. Es war wirklich furchtbar."
„Die beiden?"
„Na ja, es waren zwei Autos. Frontal zusammengestoßen. Zwei junge Frauen. Die eine war sehr schwer verletzt, aber die andere hat es nicht überlebt. Wir dachten zunächst, wir kriegen sie durch. Sie kam auch wieder

einige Zeit zu Bewusstsein. Die beiden lagen zusammen im gleichen Zimmer. Als sie starb, war ich allerdings nicht im Dienst."

„Kennst du jemanden, der zu der Zeit Dienst hatte?"

„Warte mal, ja, eine Kollegin, aber die arbeitet jetzt nicht mehr hier, und einen Pfleger, Bernd Klingbeil, aber den habe ich die letzten Tage nicht gesehen, vielleicht hat er Ferien oder er ist krank. Ich kann aber mal im Archiv nachsehen, wenn dich das interessiert."

„Das wäre phantastisch."

„Darf ich denn noch meinen Kaffee austrinken, Herr Privatdetektiv, oder haben Sie es sehr eilig?"

„Entschuldige, Gisela. Natürlich trinken wir erst mal den Kaffee aus. Ich bin wirklich sehr unhöflich."

„Schon gut. Warte hier auf mich. Ich bin in fünf Minuten wieder hier."

Als Gisela zurückkommt, wirkt sie sehr irritiert.

„Das ist wirklich komisch. Die Unterlagen von Elisabeth Broden sind weg. Verschwunden. Nichts, absolut nichts."

„Was? Und die Sachen von der anderen?"

„Keine Ahnung. Soll ich nachsehen?"

„Bitte, sei so lieb."

Nach einigen Minuten kommt Gisela zurück, völlig verwirrt.

„Das verstehe ich nicht. Diese Unterlagen sind auch weg. Das gibt's doch gar nicht. Das ist mir noch nie passiert."

„Schade. Nichts zu machen. Besuchen wir jetzt die alte Dame?"

6

Als Müller und Gisela Martens das Zimmer 201 betreten, sagt Frau Matzke: „Bist du es, Lisbethchen?"

„Nein, ich bin's, die Krankenschwester. Aber Elisabeth wird sicher bald kommen, Frau Matzke."

Die alte Frau schließt die Augen und schläft ein. Sie sieht sehr klein und müde aus in ihrem Krankenbett. Vorsichtig macht Gisela die Tür zu. „Du kannst jetzt nicht mit ihr sprechen. Vielleicht in ein paar Tagen."

„Entschuldigen Sie, liegt hier Frau Matzke? Ich bin ihr Sohn, Peter Matzke."

Ein braun gebrannter Mann, etwa 40 Jahre alt, mit einem Strauß Blumen in der Hand, steht vor Müller und Gisela Martens.

‚Das nenn ich Glück im Unglück', denkt Müller.

„Gestatten Sie, dass ich mich vorstelle: Müller. Privatdetektiv Müller. Ihre Mutter schläft gerade. Wenn ich Ihnen irgendwie weiterhelfen kann ...?"

Peter Matzke ist verwirrt. „Wieso Privatdetektiv? Ich denke, die Polizei kümmert sich um den Fall?"

„Natürlich, natürlich, aber falls Sie mich brauchen, hier ist

18

meine Karte. Rufen Sie mich doch einfach an, vielleicht weiß ich einige Dinge, die die Polizei nicht weiß ..." Müller gibt dem immer noch verwirrten Mann seine Visitenkarte und verabschiedet sich.

Er geht mit Gisela zum Ausgang. „Also, vielen Dank, Gisela. Ich ruf dich in den nächsten Tagen bestimmt an, dann gehen wir mal essen, o.k.?"

„Ach, du ...", seufzt Gisela, „das hast du beim letzten Mal auch gesagt und dann hast du dich eine Ewigkeit nicht gemeldet, du Schuft."

7

Müller geht zurück in sein Büro. Eigentlich will er lieber den Fall der alten Dame weiter untersuchen, aber: ohne Auftrag kein Geld. Da hat seine Sekretärin schon Recht.

„Hallo, Bea, wie geht's, wie steht's, was machen die Geschäfte? Gibt's was Neues?"

„Oh ja, Chef. Ein gewisser Herr Peter Matzke hat angerufen. Eine ganz reizende Stimme hat der. Und er war sehr charmant."

„Schon gut, schon gut. Was hat er gesagt? Das interessiert mich mehr als seine Stimme."

„Er möchte Sie sprechen. Um 3 Uhr wird er hier im Büro sein. Das ist doch in Ordnung, oder?"

„Um drei? Unmöglich, ich muss vorher noch zu dieser eifersüchtigen Ehefrau, die ihren Mann überwachen will. Habe ich Ihnen das nicht gesagt? Na, egal, um halb vier bin ich dann hier. So lange müssen Sie sich mit diesem Herrn Matzke unterhalten. Übrigens hat er nicht nur eine reizende Stimme, sondern sieht auch noch gut aus. Also Vorsicht, meine Liebe!"

Als Müller um halb vier zurückkommt, sitzen Bea Braun und Peter Matzke in seinem Büro, trinken Kaffee und unterhalten sich bestens.

„Tag, Herr Matzke, tut mir Leid, dass ich jetzt erst komme, ich musste noch etwas erledigen."

„Guten Tag, Herr Müller, das macht nichts, ich habe mich wunderbar mit Frau Braun unterhalten ..."

„Das freut mich. Was kann ich für Sie tun?"

„Nun, ich möchte, dass Sie sich um den Fall kümmern. Was ich bisher von der Polizei gehört habe, ist ein bisschen dünn. Das Merkwürdigste ist: Der Dieb oder die Diebe haben den goldenen Familienschmuck gestohlen."

„Wieso ist das merkwürdig?", fragt Müller.

„Mein Vater ließ damals von dem Schmuck eine Kopie machen. Aus Sicherheitsgründen. Eine sehr gute Kopie. Die Kopie ist noch da, das Original aber ist verschwunden, obwohl es sehr gut versteckt war."

„Also wussten die Diebe oder der Dieb sehr gut Bescheid", sagt Bea Braun, die die ganze Zeit aufmerksam zugehört hatte.

„Und außerdem ist diese Elisabeth Broden verschwunden", ergänzt Helmut Müller.

„Sagen Sie, Herr Matzke, könnte ich mir die Wohnung einmal ansehen?"

„Natürlich, ich habe die Schlüssel von meiner Mutter. Wir können uns morgen früh vor der Wohnung treffen. So um 9 Uhr?"

„Einverstanden. Wir sehen uns dann morgen."
Peter Matzke verabschiedet sich von Bea Braun und Herrn Müller.
„Ein wirklicher Gentleman, dieser Peter Matzke, finden Sie nicht auch, Chef?"
„Ja, ja, schon gut. Hauptsache, wir haben den Auftrag und er zahlt gut."

8

Als Helmut Müller abends nach Hause kommt, ist der Eisschrank immer noch so leer wie am Sonntagabend. Er hat keine Lust, allein zu sein, und ruft Gisela Martens an. Vielleicht hat sie Zeit und geht mit ihm essen.
„Hallo, Gisela, siehst du, wie ich meine Versprechen halte? Wollen wir zusammen essen gehen?"
„Hallo, Helmut. So ein Zufall! Ich wollte dich auch gerade anrufen. Ich habe noch mal in den Unterlagen nachgesehen, du weißt schon, wegen der zwei jungen Frauen mit dem Autounfall. Ich habe den Namen und die Adresse von dem anderen Mädchen bei unserer Buchhaltung gefunden. Interessiert dich das?"
„Na klar. Warte, ich hol mir schnell was zum Schreiben ... Also los!"
„Also, sie hieß Ingeborg Arm und sie wohnte in der Augsburger Str. 42, 3. Stock."
„Gisela, du bist phantastisch. Wollen wir jetzt zusammen essen gehen?"

„Gern, wie wär's in einer halben Stunde in der Pizzeria am Savignyplatz[5]?"

„Alles klar, bis gleich, meine Liebe."
Müller ist zufrieden. Der Abend ist gerettet.

9

Am nächsten Tag um 9 Uhr treffen sich Helmut Müller und Peter Matzke in der Wohnung von Frau Matzke. Die Wohnung ist voll mit alten Möbeln, alten Gemälden, alten Teppichen. Im Wohnzimmer steht ein altes Klavier.
„Ich möchte gern das Zimmer von Elisabeth sehen", sagt Müller.
„Ich glaube, es ist dahinten, neben dem Esszimmer. Aber ich weiß es nicht sicher, ich habe die Wohnung viele Jahre nicht gesehen." Die Stimme von Matzke klingt ein bisschen traurig.
Elisabeths Zimmer hat nur wenige Möbel: einen Tisch, ein Bett, einen Schrank, einen Schreibtisch. Auf dem Schreibtisch liegen einige Papiere, Briefe, Postkarten und ein Foto. Das Foto zeigt eine junge Frau im Badeanzug.
„Ist das Elisabeth?"
„Keine Ahnung. Als ich sie zum letzten Mal gesehen habe, war sie 5 oder 6 Jahre alt."
Auf der Rückseite des Fotos steht ein Satz: „Das ist sie. Bernd".

23

„Merkwürdig. Kennen Sie einen Bernd?"

„Nein."

‚Bernd. Bernd. Wo habe ich diesen Namen in den letzten Tagen gehört?' Müller denkt nach, aber er erinnert sich nicht.

‚Bernd ... Doch, der Pfleger im Krankenhaus, aber das ist vielleicht ein Zufall.'

Sie gehen aus der Wohnung. Auf der Straße fragt Müller: „Was haben Sie vor, Herr Matzke? Haben Sie Lust, mit mir eine andere Wohnung anzuschauen?"

„Was für eine Wohnung?"

„Die Wohnung des Mädchens, das bei dem Unfall ums Leben gekommen ist. Vielleicht finden wir irgendetwas."

10

Müller und Matzke nehmen ein Taxi und fahren in die Augsburger Straße. Vor dem Haus Nr. 42 steigen sie aus. Müller ist nervös. Er probiert den Schlüssel, den er Sonntagnacht vor der Haustür der alten Frau Matzke gefunden hat. Er passt.

„Aber, Herr Müller ..." Matzke ist verwirrt.

„Ruhig, ich erkläre Ihnen das später."

Sie gehen in den dritten Stock. Wieder probiert Müller den Schlüssel. Er passt.

Leise öffnet Müller die Tür. Ein kleiner Flur. Am Ende des Flures ein Badezimmer. Jemand ist unter der Dusche.

Plötzlich öffnet sich die Tür, ein Mann im Bademantel steht vor Müller und Matzke.

„He, was soll das? Was machen Sie hier? Wer sind Sie?"

„Entschuldigen Sie, das muss wohl ein Missverständnis sein. Lebt hier eine junge Dame mit Namen Ingeborg Arm?", sagt Müller mit ruhiger Stimme.

„Nein, hier lebt keine junge Dame und Sie haben kein Recht ..."

„Wirklich, es tut mir Leid, entschuldigen Sie, aber ich dachte, hier wohnt Fräulein Arm und da die Schlüssel passten ..."

„Sagen Sie, wen suchen Sie, wie heißt die? Warten Sie, ich wohne jetzt seit einem Jahr hier, aber hier liegen noch ein paar Sachen rum von dem Mädchen, das hier vorher gewohnt hat. Moment mal."

Der Mann geht in ein anderes Zimmer und kommt mit einigen Briefen und Postkarten zurück. Sie sind alle an Ingeborg Arm adressiert, viele von ihnen unterschrieben mit „Dein Bernd".

„Na, so ein Zufall", sagt Müller. Sie entschuldigen sich noch einmal und verabschieden sich von dem jungen Mann.

„Also, ich verstehe nichts mehr, Herr Müller. Was ist das für ein Schlüssel, den Sie da haben?"

„Den hat Elisabeth am Sonntagabend vor dem Haus ihrer Mutter verloren. Ich habe ihn gefunden."

„Aber wieso hat Elisabeth den Schlüssel von einer Frau, die seit einem Jahr tot ist?"

„Das weiß ich auch nicht. Noch nicht. Aber jetzt hab ich erst mal Lust auf eine schöne Tasse Kaffee. Sie auch? Hier um die Ecke gibt es ein nettes Café."

Müller bestellt sich ein Kännchen Kaffee[6] und ein Stück Erdbeertorte.
„Mein zweites Frühstück, verstehen Sie?" Müller liebt Kuchen und Torten in allen Varianten. Aber im Büro darf er nichts essen. Bea Braun findet, dass ihr Chef zu dick ist, und fängt jedes Mal eine Diskussion an, wenn er Kuchen mitbringt.

11

Am Nachmittag geht Müller noch mal in das Haus der alten Frau Matzke. Er will die Nachbarin weiter befragen. Vielleicht kann sie eine genauere Beschreibung von Elisabeth geben.
Auf der Treppe kommt ihm eine junge Frau entgegen. ‚Die sieht fast aus wie Elisabeth,' denkt er, ‚ein bisschen größer als auf dem Foto.'
„Verzeihen Sie, sind Sie Elisabeth Broden?"
„Was? Wer sind Sie? Was wollen Sie?"
‚Sie hat Angst', denkt Müller. Im gleichen Moment zieht die Frau eine Pistole aus ihrer Handtasche.
„Aus dem Weg! Bleiben Sie stehen! Wenn Sie mir folgen, schieße ich!"

Hastig rennt sie die Treppe hinunter und ist verschwunden.

„Mist, verdammter Mist!" Müller flucht und geht vorsichtig die Treppe hinunter. Als er aus der Haustür schaut, ist die Frau weit und breit nicht zu sehen. ‚Wenigstens weiß ich jetzt, wie sie aussieht‘, denkt er.

Anschließend ruft er Kommissar Schweitzer an, um ihm von der Begegnung mit Elisabeth zu erzählen.

„Wir suchen diese Frau", sagt der Kommissar.

„Ein merkwürdiger Fall, finden Sie nicht?"

„Merkwürdig warum? Ist doch alles klar. Sie hat die Juwelen gestohlen und versucht jetzt zu fliehen. Aber aus Berlin kommt sie nicht raus."

„Aber, Herr Kommissar, sie ist Alleinerbin von Frau Matzke. Warum soll sie die Juwelen stehlen, wenn sie sowieso alles bekommt?"

„Sie wissen ja eine Menge, Herr Müller." Die Stimme des Kommissars klingt ironisch.

„Es ist ja auch mein Fall."

„So, seit wann denn?"

„Seit gestern. Der Sohn der alten Dame, Peter Matzke, hat mich damit beauftragt."

„Ach ja? Dann denken Sie auch daran, immer alles schön der Polizei zu erzählen, nicht wahr? Dazu sind Sie verpflichtet, Herr Müller." Wieder dieser ironische Ton in der Stimme des Kommissars.

„Aber natürlich", sagt Müller wie ein braver Junge und denkt: ‚Du magst mich nicht und ich mag dich nicht, so ist es eben zwischen Privatdetektiven und Polizisten.‘

Müller geht zurück ins Büro. Er muss mit Bea Braun sprechen.

Vielleicht hat sie eine Idee. Irgendwie passt alles zusammen und auch wieder nicht. „Was meinen Sie, Bea, warum sollte Elisabeth die alte Dame überfallen?"

„Ich weiß nicht, Chef, es ist wirklich kompliziert. Warum hat Elisabeth den Schlüssel der Wohnung von Ingeborg? Warum sind die Unterlagen aus dem Archiv des Krankenhauses verschwunden? Wer ist Bernd, dieser Freund von Ingeborg? Ist er auch der Freund von Elisabeth? Sind beide Bernds identisch, Chef?"

„Mensch Bea, wenn beide Bernds identisch sind, dann ..." Müller geht zum Telefon und ruft Kommissar Schweitzer an. „Herr Kommissar, ich muss Sie sofort sprechen. Ich bin in 5 Minuten bei Ihnen."

Dann ruft er Gisela Martens an: „Gisela, ich brauche schon wieder deine Hilfe. Bitte besorge mir die Adresse von diesem Bernd Klingbeil. Irgendwie musst du sie finden, vielleicht fragst du bei der Personalabteilung im Krankenhaus. Wenn du die Adresse hast, ruf den Kommissar Schweitzer an, die Nummer ist 2 25 57 52. Ich bin bei ihm."

Jetzt hat es Müller sehr eilig. „Tschüs, Bea. Wenn was ist, ich bin bei Kommissar Schweitzer."

Kommissar Schweitzer:
TEL: 2255752

12

Eine Stunde später stehen Kommissar Schweitzer, Helmut Müller und ein Spezialkommando der Polizei vor einem kleinen Haus in Tegel[7].

„Hier spricht die Polizei. Kommen Sie heraus, das Haus ist umstellt. Widerstand ist zwecklos."

Nach einer Minute öffnet sich die Tür, und heraus kommen Bernd Klingbeil und Elisabeth Broden.

„Da ist ja unser schönes Pärchen. Herr Klingbeil, Sie sind verhaftet. Frau Broden alias Arm, Sie auch."

13

Am nächsten Tag treffen sich Herr Matzke und Helmut Müller und Bea Braun im Restaurant des Kempinski-Hotels[8]. Matzke hatte beide eingeladen, um die Lösung des Falles zu erfahren.

„Tja, Herr Matzke, die entscheidende Idee kam von Bea Braun. Sie ist einfach eine geniale Mitarbeiterin."

Bea lächelt und sagt nichts. Matzke lächelt auch. „Und was war die geniale Idee?"

„Sie entdeckte, dass beide Bernds identisch sind. Wenn beide Bernds identisch sind, dann auch Elisabeth und Ingeborg. Als Ingeborg den Unfall hatte und mit Elisabeth im Krankenhaus lag, erfuhr sie, dass Elisabeth eine reiche Tante hatte, zu der sie ziehen wollte. Sie war mit dem Auto auf dem Weg zu ihrer Tante, also Ihrer Mutter, Herr Matzke. Elisabeth hat Ingeborg das erzählt, bevor sie starb. Bernd hatte die Idee, einfach die Krankenpapiere auszutauschen, und hat sie dann später aus dem Archiv

30

gestohlen. Als Ingeborg wieder gesund war, zog sie zu der alten Frau Matzke und gab sich als ihre Nichte aus."

„Ja, aber warum dann dieser Überfall?", fragt Peter Matzke.

„Wahrscheinlich hatte Bernd Klingbeil keine Lust mehr zu warten. Die Arbeit im Krankenhaus ist schwer, man verdient sehr wenig, also wollte er das Ganze etwas schneller erledigen. Wahrscheinlich war Elisabeth alias Ingeborg nicht damit einverstanden, aber nach dem Überfall musste sie mitspielen, sie hatte keine andere Wahl. So, und wenn Sie einverstanden sind, möchte ich jetzt bestellen. Ich habe fürchterlichen Hunger und mein Kühlschrank ist absolut leer, also muss ich etwas mehr essen als sonst, verstehen Sie? Herr Ober, bitte!"

14

Nach dem Essen fragt Helmut Müller: „Sagen Sie, Herr Matzke, wie geht es denn Ihrer Mutter? Gibt es was Neues aus dem Krankenhaus?"

„Oh, ja. Sie darf nächste Woche wieder nach Hause. Ich werde auf jeden Fall so lange in Berlin bleiben. Ach, Frau Braun, haben Sie vielleicht Lust, mir ein bisschen Berlin zu zeigen, es ist so viele Jahre her, dass ich in dieser Stadt war."

„Aber mit Vergnügen, Herr Matzke, mit Vergnügen. Chef, Sie geben mir doch bestimmt einige Tage frei, oder?"

Kann in so einer Situation ein verständnisvoller Privatdetektiv etwas anderes sagen als „Ja, natürlich, meine Liebe"? Genau das hat unser Privatdetektiv auch gesagt. Dann hat er den beiden einen schönen Tag gewünscht und sich verabschiedet. In der Halle des Hotels hat er ein Telefon gesucht und Gisela Martens angerufen.

Landeskundliche Anmerkungen

1 In Deutschland sind sonntags fast alle Geschäfte geschlossen. Am Samstag sind vor allem kleinere Geschäfte nur bis 12 Uhr auf.

2 Theater des Westens, bekanntes Theater in der Stadtmitte mit populärem Programm, besonders viele Operetten und Musicals

3 Das Rudolf-Virchow-Krankenhaus liegt im Berliner Stadtteil Moabit.

4 Während der Nazi-Zeit sind viele Familien vor dem Terror des Hitler-Regimes geflüchtet, in die USA, nach Kanada und in andere Länder.

5 Der Savignyplatz liegt in der Nähe vom Ku-Damm in der Kantstraße.

6 In Deutschland bestellt man oft ein Kännchen Kaffee, das entspricht etwa zwei Tassen.

7 Tegel ist ein Stadtteil in der Nähe des Flughafens. Dort gibt es noch viele kleine Häuser mit Gärten.

8 Das Kempinski-Hotel ist eines der elegantesten und teuersten Hotels in Berlin, direkt am Kurfürstendamm gelegen.

Übungen und Tests

1. Was wissen Sie schon über Helmut Müller?
Bitte ankreuzen:

	☐ fröhlich
	☐ traurig
Helmut Müller ist ...	☐ hungrig
	☐ ordentlich
	☐ unordentlich
	☐ dick
	☐ dünn

	☐ mittags
Die Geschichte beginnt ...	☐ morgens
	☐ abends

	☐ Es regnet.
Wie ist das Wetter?	☐ Es ist kalt.
	☐ Es ist warm.

Wie viele Personen kennen Sie jetzt schon?

a) eine   b) zwei   c) drei   d) vier

2. Wer sagt was? Bitte mit einem Pfeil verbinden

Helmut Müller		er eine Frau und einen Mann gesehen hat.
		die Besucher die Wohnung durchsucht haben.
	sagt, dass	er gegenüber wohnt.
		manchmal eine Nichte bei der alten Frau wohnt.
Kommissar Schweitzer		der Mann und die Frau etwa dreißig Jahre alt sind.

3. Der Freund von Bea Braun heißt ...

a) Peter   b) Robert   c) Johannes

Was erzählt Müller alles seiner Sekretärin?
Machen Sie Notizen und fassen Sie zusammen:

abends, Balkon, ein Mann + eine Frau,
am nächsten Morgen,
Kommissar Schweitzer,
alte Frau,
. . . . .

4. Fragen beantworten:

Warum sagt Müller der Nachbarin, er ist Reporter?

_____

Welchen Beruf hat Elisabeth?

_____

Wie heißt die alte Dame?

_____

Wer lebt auf den Kanarischen Inseln?

_____

5. Was gehört zusammen? Bitte mit einem Pfeil verbinden:

Helmut Müller	arbeitet im Krankenhaus.
Gisela Martens	ist Krankenpfleger.
Elisabeth Broden	hatte einen schweren Unfall.
Bernd Klingbeil	ist sehr irritiert.
	ist im Moment nicht zu erreichen.
	besucht eine Freundin.

6. Eine Person beschreiben: Wie sieht Peter Matzke aus?
Beschreiben Sie, wie Sie ihn auf der Illustration auf
Seite 18 sehen!

7. Fragen beantworten:

Wie findet Bea Braun Herrn Matzke? Sympathisch?
Oder nicht?

_____

Warum ist es merkwürdig, dass der Familienschmuck
verschwunden ist.

_____

Wann treffen sich Müller und Matzke? Warum?

_____

8. Fragen beantworten:

Warum ruft Müller Gisela Martens an?

_____

Wer ist Ingeborg Arm? Wo wohnt sie?

_____

9. Richtig oder falsch? Bitte ankreuzen:

	r	f
Müller und Matzke treffen sich im Büro.	☐	☐
Das Zimmer von Elisabeth ist voller Möbel.	☐	☐
Matzke kennt die Wohnung nicht gut.	☐	☐
Matzke und Müller fahren in eine andere Wohnung.	☐	☐

10. Wer macht was? Bitte mit einem Pfeil verbinden:

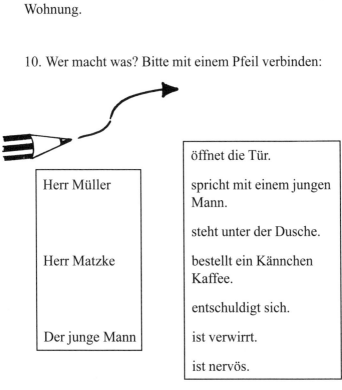

Herr Müller	öffnet die Tür.
	spricht mit einem jungen Mann.
	steht unter der Dusche.
Herr Matzke	bestellt ein Kännchen Kaffee.
	entschuldigt sich.
Der junge Mann	ist verwirrt.
	ist nervös.

38

11. Telefongespräche ...
Mit wem telefoniert Herr Müller. Bitte ankreuzen:

Er telefoniert mit ...

☐ Herrn Matzke   ☐ Herrn Schweitzer

☐ Frau Broden   ☐ Frau Martens

☐ Frau Braun   ☐ Herrn Klingbeil

12., 13. und 14. Fragen beantworten:

Warum kam die entscheidende Idee von Bea Braun?

_____

Welche Rolle spielt Bernd Klingbeil?

_____

Bleibt Herr Matzke in Berlin?

_____

Wann darf Frau Matzke aus dem Krankenhaus?

_____

Was macht Müller nach dem gemeinsamen Essen?

_____

Sämtliche bisher in dieser Reihe erschienenen Bände: